4 5 6 7

11 12

15 16

19 20

D1448694

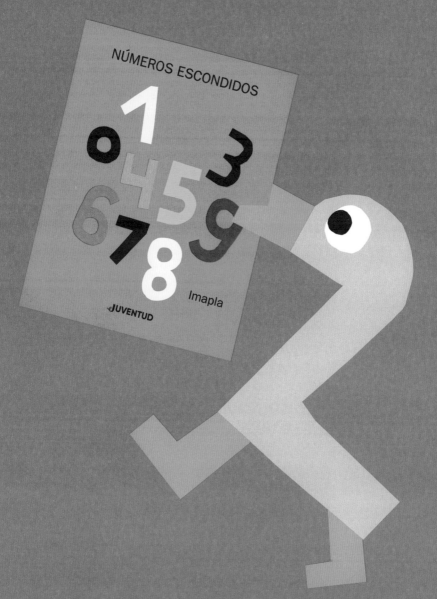

NÚMEROS ESCONDIDOS

Imapla

el JUVENTUD

EL **CERO** ES UNA MOSCA QUE CHILLA.

EL **UNO** ES UN CABALLO QUE SE LLAMA BRUNO.

EL **DOS** ES UN PATO QUE VA A LA PATA COJA.

EL **TRES** ES UNA GOLONDRINA
QUE VIENE POR PRIMAVERA.

EL **CUATRO** ES UN AVESTRUZ
QUE HA PUESTO UN HUEVO.

EL **CINCO** ES UN DRAGÓN

MALVADO QUE ESCUPE FUEGO.

EL **SEIS** ES UNA BALLENA QUE DA COLETAZOS.

EL **SIETE** ES UN TUCÁN QUE VISTE DE ARCOÍRIS.

EL **OCHO** ES UN OSO POLAR
QUE VIVE SOLO EN UN ICEBERG.

EL **NUEVE** ES UNA BALLENA
QUE JUEGA A PELOTA.

¡UN MOMENTO!

¡QUE VIENEN LOS AMIGOS
DEL CABALLO BRUNO!

BRUNO HUYE DE LA MOSCA EN EL **DIEZ**.

BRUNO TROTA CON OTRO CABALLO EN EL **ONCE**.

BRUNO BAILA CON EL PATO EN EL **DOCE**.

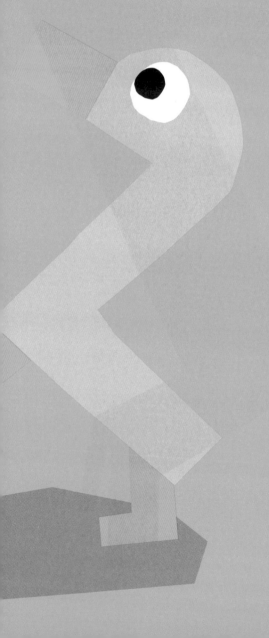

BRUNO SE DESPIDE
DE LA GOLONDRINA EN EL **TRECE**.

BRUNO FELICITA AL AVESTRUZ
EN EL **CATORCE**.

BRUNO DESAFÍA AL DRAGÓN

EN EL **QUINCE**.

BRUNO BUCEA CON
LA BALLENA EN EL **DIECISÉIS**.

BRUNO Y EL TUCÁN VAN DE CARNAVAL

EN EL **DIECISIETE**.

BRUNO VISITA AL
OSO POLAR EN EL **DIECIOCHO**.

BRUNO Y LA BALLENA SE VA

DE VACACIONES EN EL **DIECINUEVE**.

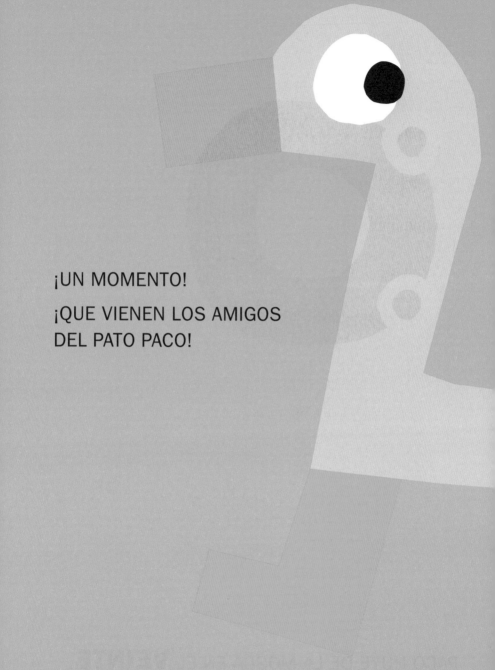

¡UN MOMENTO!
¡QUE VIENEN LOS AMIGOS
DEL PATO PACO!

PACO HUYE DE LA MOSCA EN EL **VEINTE**.

PERO... POR HOY, ¡YA ESTÁ BIEN DE CONTAR!

¡HASTA LA VISTA, **NÚMEROS!**

Para Elena y Gabriel.

© Imapla (Imma Pla Santamans), 2019

© EDITORIAL JUVENTUD, S. A., 2019
Provença, 101 - 08029 Barcelona
info@editorialjuventud.es
www.editorialjuventud.es

Primera edición, 2019

ISBN: 978-84-261-4573-4

DL B 6.312-2019
Núm. de edición de E. J.: 13.753

Printed in Spain
Arts Gràfiques Grinver (Barcelona)

NÚMEROS ESCONDIDOS

Imapla

JUVENTUD

ABECEDARIO ESCONDIDO

Imapla

JUVENTUD

Descubre también dónde
se esconden las letras en el
ABECEDARIO ESCONDIDO

10 20
50 60
90